Ce livre appartient à

MiA BAssiere TaggART
remis par Manon aux
vacances d'Avril 2013

Trop bon !

Les exploits de Maxime et Clara

est une collection destinée aux enfants qui apprennent à lire et qui ont envie de lire des histoires tout seuls. La collection propose trois niveaux progressifs qui suivent les grandes étapes de l'apprentissage de la lecture.

Dans chaque volume, on trouve :

❀ l'histoire d'un petit exploit de Maxime et Clara, deux enfants de six ans, malicieux et débrouillards ;

❀ le dossier (p. 28), qui se compose d'activités pour faciliter les premiers pas de lecteur de l'enfant ;

❀ le dico illustré (p. 32), qui permet à tout moment de la lecture d'identifier un mot grâce à un dessin.

© Éditions Belin 2013   ISBN 978-2-7011-7628-4

COLLECTION BOSCHER

Trop bon !

Barbara de Negroni

Texte et dossier

❀

Marie-Élise Masson

Illustrations

Belin:

8, rue Férou 75278 Paris cedex 06
www.editions-belin.com

Dring ! La cloche sonne. La journée est finie.

Le maître dit :

– Rangez vos affaires. Demain, c'est la fête
de l'école. N'oubliez pas d'apporter
un gâteau ou une bouteille de jus de fruit.

Maxime dit tout bas à Clara :

– J'ai une idée. Nous allons faire
un gâteau pour la fête.

– D'accord !

– Chut ! Ne le dis pas aux autres.
C'est une surprise.

À la sortie de l'école, les parents attendent
les enfants.

– Papa, dit Clara, on va faire un gâteau
avec Maxime pour la fête de l'école !

La maman de Maxime dit au papa de Clara :

– Clara peut venir à la maison demain
et nous ferons le gâteau ensemble.

Le lendemain, Clara arrive chez Maxime.

– Regarde, j'ai eu un livre pour mon anniversaire où il y a une recette de fondant au chocolat, dit Maxime.

– Miam ! J'adore le chocolat ! dit Clara.

– Nous voulons faire un fondant au chocolat,
crient les enfants.
La maman de Maxime regarde la recette
et dit :
– Je fais la liste des courses et nous allons
au supermarché.

Au supermarché, Maxime et Clara
prennent deux tablettes de chocolat noir,
une plaquette de beurre demi-sel,
une boîte d'œufs, un paquet de farine
et un paquet de sucre en poudre.
– On a tout ! On va à la caisse et on rentre
à la maison, dit Maxime.

Maxime et Clara se lavent les mains.

Ils mettent chacun un tablier.

Ils cassent le chocolat en petits morceaux
dans un saladier.

La maman de Maxime le met à chauffer
au four à micro-ondes.

– Maintenant, le beurre, la farine et le sucre, dit Clara.

– Puis, on casse cinq œufs, un à un, ajoute Maxime.

– Succulent, dit Clara en se léchant les doigts.

– On verse la pâte dans le moule et on a fini,
s'écrie Clara.

– Le gâteau va cuire vingt minutes, dit Maxime.

– Je vais laver le saladier, dit Clara.

– Attends, il y a encore un peu de pâte
sur le bord, proteste Maxime. Pas de gâchis !

Le gâteau est cuit. Il sent bon.
La maman de Maxime met le fondant
au chocolat dans un sac.
En route pour la fête !

La cour est très jolie : elle est décorée
avec des ballons de toutes les couleurs.
Il y a des jeux partout.
On peut chanter et danser, vive la fête !
Sur une table, il y a tous les gâteaux.
Maxime et Clara posent le fondant dessus.

– Oh, il est beau votre gâteau ! dit Salomé.

– Nous l'avons fait tout seuls ! disent Maxime et Clara.

Tous les enfants veulent le goûter.

Hugo et Lola prennent une seconde part et disent :

– Trop bon ! Vous nous donnez la recette de votre fondant ?

Mon petit dossier

Lecture

1 Je montre le mot quand j'entends le son **è** comme dans 🍓.

recette

œufs

chanter

maison

2 Je montre le mot qui correspond à chaque dessin.

peur béret
beurre

gâteau bateau
râteau

balai ballon
bâton

3 Je forme des mots avec les syllabes et je les écris dans mon cahier.

a. ri ne fa

b. ché su mar per

c. co rée dé

d. co é le

Vocabulaire

1 **Dans chaque liste de mots, je trouve l'intrus.**

a. le chocolat · le beurre · la tomate · le sucre

b. les jeux · les ballons · la fête · le tablier

c. le poisson · l'école · la maîtresse · la cour

2 **Je range les mots dans l'ordre alphabétique et je les recopie dans mon cahier.**

surprise   chanter

recette   bouteille

succulent   enfants

3 Rébus

4 **Je trouve la charade.**

Mon **premier** n'est pas froid.

Mon **deuxième** est en haut de mon manteau.

Mon **troisième** est la première lettre de l'alphabet.

Mon **tout** est trop bon !

Mon petit dossier

Compréhension

1 Je remets les images de l'histoire dans l'ordre.

a.

b.

c.

2 Je trouve la bonne réponse.

a. Maxime et Clara font un gâteau pour la fête de l'école.
Vrai | Faux

b. Le papa de Maxime accompagne les enfants au supermarché.
Vrai | Faux

c. Maxime et Clara ont préparé une tarte au citron.
Vrai | Faux

3 Je réponds aux questions.

a. Où Maxime trouve-t-il la recette du gâteau ?

b. Que ressentent Maxime et Clara à la fin de l'histoire ?

c. Et toi, aimes-tu faire la cuisine ? Quelle est ta recette préférée ?

Petite histoire du chocolat

Il y a 500 ans

Il y a 300 ans

Au Mexique, les Espagnols découvrent le **cacaoyer**. Les fruits de cet arbre contiennent des fèves de cacao avec lesquelles on fait le chocolat.

Le chocolat est la **boisson chaude** à la mode. Pour le préparer, on mélange le cacao à du sucre et à du lait.

Il y a 160 ans

Aujourd'hui

Les premières **tablettes de chocolat** sont fabriquées. Elles sont d'abord au chocolat noir, puis au chocolat au lait.

Les chocolatiers utilisent des **moules** et donnent au chocolat des formes extraordinaires : œufs, lapins, Pères Noël mais aussi locomotives ou bateaux !

Le dico illustré

le beurre

la bouteille

le chocolat

la cloche

le doigt

le gâteau

le livre

la maison

mélanger

le moule

les œufs

la recette

le saladier

le sucre

le tablier

Dans la même collection

Niveau ❶

Niveau ❷

Niveau ❸

Mon petit dossier

Réponses

Lecture. 1. recette, maison. 2. beurre ; gâteau ; ballon.
3. a. farine ; b. supermarché ; c. décorée ; d. école.

Vocabulaire. 1. a. la tomate ; b. le tablier ; c. le poisson.
2. bouteille, chanter, enfants, recette, succulent, surprise. 3. phare/l/nœud : farine. 4. chaud/col/A : chocolat.

Compréhension. 1. c, a, b. 2. a. vrai ; b. faux ; c. faux.
3. a. Dans un livre qu'il a reçu pour son anniversaire.
b. Ils sont fiers d'avoir fait un gâteau tout seuls pour la fête de l'école.

IMPRIM'VERT®

Imprimé en France par Loire Offset Titoulet à Saint-Étienne
N° d'édition : 007628-02 - N° d'impression : 201308.2312
Dépôt légal : septembre 2013